LEVEL 1

1

333

영어

안녕하세요, 저자 조정현입니다.

영어를 처음 배우기 시작하는 것은 쉽지 않은 도전이지만, 새로운 언어를 익히며 세상을 넓혀가는 여정은 매우 의미 있는 일입니다. 이 책은 영어 회화를 처음 접하는 왕초보 학습자부터 초보자, 중급자 학습자 여러분들을 위해 만들어졌으며, 단계별로 영어 실력을 자연스럽게 향상시킬 수 있도록 구성하였습니다. 주위에 수많은 영어 교재들이 있지만, 첫 페이지부터 끝까지 완독하며 만족스럽게 학습을 하게 되는 경우는 드문 것이 사실입니다. 과연 이유가 무엇일까요?

학습자에게 지속적으로 흥미를 주고 계속 나아갈 수 있게 동기부여해 주는 데에 한계가 있기 때문일 것입니다. 이제 우리는 더 이상 지체하지 말고, 그동안 수없이 목표로 삼아왔던 영어라는 이 여정을 즐겨야 하기에, 조정현의 3-3-3 영어 시리즈를 십분 활용하면 되는 것입니다.

흥미를 이끌어내는 생활 속 표현들을 주제로, 매 단원마다 [삽화]-[상황듣기]-[문제해결]-[어휘표현]-[문장완성]-[꿀팁]-[발음 및 문법] 순으로 진행하게 됩니다.

무엇보다도 아날로그 감성의 손그림으로 호기심을 자극해 드립니다. - 저자의 부족한 그림 솜씨(?)에 대해 미리 양해를 부탁드립니다. - 하지만 따뜻한 감성으로 한 땀 한 땀 정성을 다해 그렸으니 삽화의 캐릭터들과 친해지시길 바라는 마음입니다.

<Level 1 기초 다지기> 영어의 필수 어휘를 익히고 기본적인 문장을 만들어내는 능력을 기르는 데 중점을 두고 있습니다. 이 단계에서는 복잡한 문장을 만들기보다는, 간단하고 명확한 문장 구조를 이해하는 것이 중요합니다. 기본 문장을 반복 연습하시기 바랍니다. 특히, 실생활에서 자주 쓰이는 가벼운 일상 대화 등을 중심으로 구성했으니 쉽고 재미있게 학습이 가능합니다.

<Level 2 자신감 키우기> Level 1에 비해, 다양한 문장을 말할 수 있도록 돕는 데 중점을 두고 있습니다. 조금 더 긴 문장을 듣고, 만들어보고, 의문문이나 부정문 등 다양한 문장 구조를 연습하는 단계입니다. 이 과정에서 중요한 것은 문법적인 정확성도 물론 중요하지만, 우선 자신감을 가지고 말을 해보는 것입니다. 실수를 두려워하지 않고 꾸준히 연습하는 것이 가장 중요한 포인트입니다.

<Level 3 실전 활용하기> 학교, 직장, 가정 등의 일상생활에서의 영어 회화를 자연스럽게 구사할 수 있도록 도와줍니다. 다양한 상황별 회화 연습을 통해 실제 대화에서 유용한 표현들을 익히고, 영어로 생각하는 습관을 기르는 것이 목표입니다. 이 단계에서는 상황에 맞는 적절한 표현을 찾아가는 연습을 하는 것이 중요합니다. 실제로 원어민들이 자주 쓰는 표현들에 적응하고 자신감을 얻으실 수 있습니다.

 이 책을 통해 여러분이 영어에 자신감을 가지게 되고, 더 나아가 자유롭게 영어로 소통하는 기쁨을 누리게 되기를 진심으로 바랍니다. 끊임없는 노력과 열정으로 여러분의 목표를 멋지게 이뤄 가시기를 응원합니다.

저자 조정현 드림

도서 구성

333 영어는 3개 레벨, 90일의 커리큘럼으로 구성되어 있습니다.
밝고 통통 튀는 조정현 선생님의 강의와 함께 학습을 진행하시면 됩니다.

Level 1

단어를 외우는 것만으로 자연스럽게 말하기는 어렵습니다. 외운 단어들이 어떤 상황에서 어떤 뉘앙스로 사용되는지를 정확히 알아야 비로소 말이 술술 나오게 됩니다. Level 1에서는 내가 아는 단어로 쉽게 말할 수 있는 문장들로 구성하여, 실생활에서 바로 사용할 수 있는 영어 회화 능력을 키울 수 있습니다.

Level 2

다 아는 단어인데 뜻이 전혀 다른 관용적 표현들이 있습니다. 이런 표현들만 잘 사용해도, 수준 높은 영어 회화가 가능합니다. Level 2는 다양한 관용적 표현을 활용해 쉽게 영어 수준을 높일 수 있는 문장들로 구성되어 있습니다.

Level 3

Level 3에서 소개하는 문장 30개만 잘 사용해도 영어 회화는 문제없습니다. 문장을 통째로 외우기는 쉽지 않지만, 외워야 할 때는 외워야 하죠. 효율적으로 외우면 부담도 훨씬 덜할 텐데요. Level 3는 사용 빈도가 높은 가성비 좋은 문장들을 선정하여, 영어 회화를 충분히 구사할 수 있도록 구성되어 있습니다.

목차

하루 3번, 각각의 다른 3가지 단계로 학습할 수 있도록 구성되어 있습니다.

☀ 아침

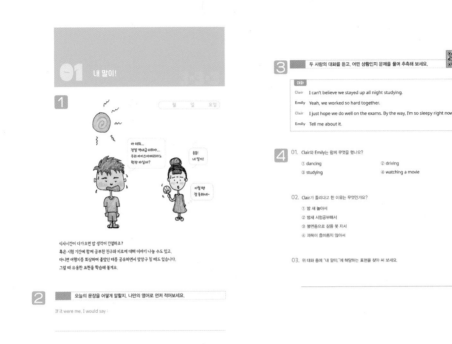

① 오늘의 상황을 그림으로 이해하고, 오늘의 표현을 우리말로 먼저 확인합니다.

② 나라면 이 상황에서 어떻게 영어로 말할 수 있을지, 내가 아는 영어로 나만의 문장을 적어 봅니다.

③ 오늘의 대화를 통해 오늘 배울 표현이 어떻게 쓰였는지 대화 속 영어 문장을 통해 확인합니다.
QR코드를 통해 원어민의 음성을 듣고, 발음과 억양도 꼭 확인하세요.

④ 대화 속 상황을 잘 이해하였는지, 문제를 풀어보면서 확인합니다.

☀️ 점심   🌙 저녁

5 대화에서 등장한 필수 어휘와 표현을 확인해 보세요. 문장에서 쓰인 표현을 우리말로 확인해봅니다.

6 필수 어휘와 표현을 잘 이해하였는지, 문제를 통해 정확한 사용법을 익힙니다. 수, 시제, 인칭 등의 변화에 주의하면서 문제를 풀어봅니다.

7 오늘의 문장은 꼭 소리내서 읽고, 3번 써보세요. 눈으로, 손으로, 입으로 익히는 시간이 됩니다.

8 알아두면 좋은 꿀팁을 정리하였습니다. 아∼ 이런 표현도 있구나! 하고 확인해두면 좋을 것 같아요.

9 차시를 마무리하며, 영어 발음에 도움이 되는 Tongue Twister 혹은 문법을 간단하고 쉽게 이해할 수 있도록 Grammar 등 다양한 코너를 준비하였습니다. 유용한 정보를 확인하며 학습을 마무리해 보세요.

학습 캘린더 학습을 마친 후, 학습 결과에 맞게 색칠해 보세요. 복습이 필요한 곳은 잊지 말고 복습을 진행해 주세요.

10 Days
Study
Calender

년   월   일

· 아침 학습
· 점심 학습
· 저녁 학습

영어 문장 _____

우리말 뜻 _____

년   월   일

· 아침 학습
· 점심 학습
· 저녁 학습

영어 문장 _____

우리말 뜻 _____

년   월   일

· 아침 학습
· 점심 학습
· 저녁 학습

영어 문장 _____

우리말 뜻 _____

년   월   일

· 아침 학습
· 점심 학습
· 저녁 학습

영어 문장 _____

우리말 뜻 _____

년   월   일

· 아침 학습
· 점심 학습
· 저녁 학습

영어 문장 _____

우리말 뜻 _____

년   월   일

· 아침 학습
· 점심 학습
· 저녁 학습

영어 문장 _____

우리말 뜻 _____

년   월   일

· 아침 학습
· 점심 학습
· 저녁 학습

영어 문장 _____

우리말 뜻 _____

년   월   일

· 아침 학습
· 점심 학습
· 저녁 학습

영어 문장 _____

우리말 뜻 _____

년   월   일

· 아침 학습
· 점심 학습
· 저녁 학습

영어 문장 _____

우리말 뜻 _____

년   월   일

· 아침 학습
· 점심 학습
· 저녁 학습

영어 문장 _____

우리말 뜻 _____

 웃는 얼굴 : 확실히 알아요.

 보통 얼굴 : 어느 정도 이해했어요.

 찡그린 얼굴 : 복습이 필요해요.

월 일 요일

식사시간이 다가오면 밥 생각이 간절하죠?
혹은 시험 기간에 함께 공부한 친구와 피로에 대해 이야기 나눌 수도 있고,
아니면 여행지를 회상하며 좋았던 때를 공유하면서 맞장구 칠 때도 있습니다.
그럴 때 유용한 표현을 학습해 볼게요.

오늘의 문장을 어떻게 말할지, 나만의 영어로 먼저 적어보세요.

If it were me, I would say :

대화

Clair I can't believe we stayed up all night studying.

Emily Yeah, we worked so hard together.

Clair I just hope we do well on the exams. By the way, I'm so sleepy right now.

Emily Tell me about it.

01. Clair와 Emily는 함께 무엇을 했나요?

① dancing   ② driving

③ studying   ④ watching a movie

02. Clair가 졸리다고 한 이유는 무엇인가요?

① 밤 새 놀아서

② 밤새 시험공부해서

③ 불면증으로 잠을 못 자서

④ 과목이 흥미롭지 않아서

03. 위 대화 중에 "내 말이."에 해당하는 표현을 찾아 써 보세요.

- stay up all night : 밤을 새다
- work hard : 열심히 (일) 하다
- do well on ∼ : ∼을 잘 하다
- sleepy : 졸린
- tell : 말하다

필수 어휘와 표현을 이용하여, 우리말에 맞게 영어 문장을 완성해 보세요.

01. We _____ studying.

공부하느라 밤을 샜어.

02. I just hope we _____ on the exams.

난 그저 우리가 시험에서 잘 해내길 바랄 뿐이야.

03. By the way, I'm so _____ right now.

근데, 나 지금 너무 졸려.

Tell me about it.
내 말이.

① _____

② _____

③ _____

꿀팁! Tell me. 자체로는 "말해봐."라는 뜻이지만,
Tell me about it.은 "내 말이. 내 말이 딱 그 말이야."라는 뜻이예요.

비슷한 표현 하나 더 소개해 볼게요.
You can say that again. 이 문장의 의미는 "너는 그것을 다시 말 할 수 있다."가 아닌,
Tell me about it. 처럼 "내 말이, 전적으로 동의해."라는 뜻입니다.

Tongue Twister [l] 과 [r] 발음

Willies' really weary. 윌리스는 정말로 피곤해요[지쳤어요].
[월리ㅅ 륄-리 위뤼]

특히 l 과 r 발음에 주의해서 연습해 보세요.
rice (쌀) vs. lice (이, 진딧물의 복수) – 이처럼 l 과 r 의 발음으로 인해 의미가 완전히 달라지니 유의하세요.

친한 친구나, 연인, 가족, 부부 사이일지라도 하나부터 열까지 모든 것을 완벽하게 알 수는 없겠죠.
상대방의 새로운 면들을 알아가는 것도 소중한 것이니까요.
나의 새로운 면모를 상대방에게 알려줄 때, 여유 가득한 미소와 함께 "넌 나에 대해 잘 모르는구나"라고
말하는 법과 그 말을 들었을 때의 반응으로 바람직한 표현을 학습해 보겠습니다.

오늘의 문장을 어떻게 말할지, 나만의 영어로 먼저 적어보세요.

If it were me, I would say :

대화

Friend 1 Hey, I have something to tell you.

Friend 2 Oh, what is it?

Friend 1 Well, I joined an art class.

Friend 2 Really? That's unexpected. I thought you weren't interested in art at all.

Friend 1 Haha, you don't know me very well.

Friend 2 That's true. I'm so glad I can see new sides of you.

01. Friend 1은 어떤 수업을 듣기로 했나요?

① dance   ② music

③ soccer   ④ art

02. Friend 2는 Friend 1이 미술에 관심있던 것을 알았나요?

① 전혀 몰랐다.

② 예상했다.

③ 조금은 관심 있다고 생각했다.

03. 위 대화 중에 "넌 나에 대해 잘 모르는구나."에 해당하는 표현을 찾아 써 보세요.

_____ very well.

- something : 무엇, 어떤 것
- join : 가입하다
- unexpected : 예기치 않은, 뜻밖의
- interested in ~ : ~에 관심있는
- side : 쪽[측], 측면

필수 어휘와 표현을 이용하여, 우리말에 맞게 영어 문장을 완성해 보세요.

01. I have _____ to tell you.

    너에게 할 말이 있어.

02. I _____ an art class.

    미술수업 등록했지.

03. I thought you weren't _____ art at all.

    난 네가 미술에 전혀 관심 없다고 생각했어.

You don't know me very well.
넌 나에 대해 잘 모르는구나.

① _____

② _____

③ _____

꿀팁!
You don't know me well.
You don't know me very well.
둘 다 좋아요. 중간에 very 부사를 하나 더 추가해서 강조할 뿐입니다.

비슷한 표현 하나 더 소개해 볼게요.
· You don't know much about me. 넌 나에 대해 아는 게 많지 않구나.
  + much about me "나에 대해 많이"라는 표현입니다.
· You don't know anything about me. 넌 나에 대해 아는 게 하나도 없구나.
  + anything about me "나에 대해 어떤 것도"라는 표현입니다.

Grammatical Structure 본문에 활용된 문장 구조 분석!

be interested in ~에 관심있다, ~에 흥미있다
You are interested in art. 넌 미술에 관심있지.
You were interested in art. 넌 미술에 관심이 있었지.
You weren't interested in art at all. 넌 미술에 전혀 관심이 없었지.

I thought + You weren't interested in art at all.
난 생각했다 + 넌 미술에 전혀 관심이 없었다
I thought you weren't interested in art at all. 난 네가 미술에 전혀 관심 없다고 생각했어.

월   일   요일

몸 상태가 화창한 날씨처럼 늘 좋으면 얼마나 좋을까요?
하지만 생체리듬이나 날씨 때문일 수도 있고, 두통, 몸살감기, 여러 상황 상 컨디션이 저조한 날이 있을 수 있죠.
그런 상황 속에서 나의 몸 상태에 대한 주제로 대화할 수 있는 유용한 표현을 연습해 보겠습니다.

오늘의 문장을 어떻게 말할지, 나만의 영어로 먼저 적어보세요.

If it were me, I would say :

두 사람의 대화를 듣고, 어떤 상황인지 문제를 풀며 추측해 보세요.

대화

Colleague 1	How are you doing today?
Colleague 2	Well, to be honest, I don't feel well.
	I have a headache and feel exhausted.
Colleague 1	Oh, why don't you go see a doctor?
Colleague 2	Yeah, I already did. I think I'll have to go home early.
Colleague 1	No problem. I think you should get some rest.
Colleague 2	Thank you for understanding.

01. Colleague 2는 병원에 다녀왔나요?

　① 다녀왔다.　　　　　　　　　　② 병원에 갈 예정이다.

02. Colleague 1은 Colleague 2가 조퇴하는 것에 대해 어떻게 답했나요?

　① 조퇴는 안된다.

　② 재택근무로 대체해라.

　③ 조퇴하고 좀 쉬어라.

03. 위 대화 중에 "컨디션이 안 좋아요."에 해당하는 표현을 찾아 써 보세요.

　　　　　　　　　　　　　　　　　　　　　　　　　　　　　　well.

_____

19

- honest : 정직한, 솔직한
- headache : 두통
- exhausted : 매우 지친, 진이 빠진
- get rest : 휴식하다
- understanding : 이해

보기의 표현을 활용하여 우리말에 맞게 문장을 완성해 보세요.

보기

toothache / back pain / cold

01. I _____ a _____ .

치통이 있어요.

02. I _____ a little _____ .

감기 기운이 있어요.

03. I _____ some _____ .

허리가 좀 아파요.

I don't feel well.
몸이 안 좋아요.

① _____

② _____

③ _____

꿀팁! "몸 상태가 별로야."라는 말을 다양하게 표현할 수 있어요.

- I'm not in a good mood. 기분이 좋지 않아요.
- I'm not in a good condition. 몸 상태가 좋지 않아요.
- I feel under the weather. 저는 몸이 좋지 않아요.

Tongue Twister [s] vs. [z] vs. [ʃ]

I **s**aw **S**u**s**ie **s**itting in a **sh**oe**sh**ine **sh**op. 난 수지가 구두닦이 가게 안에 앉아있는 것을 보았어요.
[아이써 쑤기 씨링인어 슈솨인 솹ㅡ]

우리 말의 ㅅ 과 영어의 [s] 발음은 확실히 다릅니다. 대표적 예로, '세트'와 'set'의 발음을 비교할 수 있어요.
또한 [s] 와 [z] 발음, [s] 와 [ʃ] 발음에 주의해서 연습해 보세요.

04 수고하세요. (헤어질 때 인사말)

우리나라에서 자주 쓰이는 인사말 중에 하나이죠. 물론, 말 그대로 해석한다면 "고생하라"는 말이 되니 의도에 맞지 않으므로 지양해야 하는 말이긴 합니다. 그럼에도 불구하고 자주 쓰이죠.

혹시, Keep up the good work.라고 말한다면, "계속 고생해라"라는 뜻으로 실제 우리가 의도한 것과 다른 뜻이 전달되어, 상대방에게 매우 무례하게 들릴 수 있습니다.

우리가 실생활 속에서 의도한 바는 "잘 가", "너무 무리하진 마"라는 뉘앙스이죠. 그래서 이번엔 이에 해당하는 자연스러운 영어표현을 알려드리려고 합니다.

오늘의 문장을 어떻게 말할지, 나만의 영어로 먼저 적어보세요.

If it were me, I would say :

두 직장동료의 대화를 듣고, 어떤 상황인지 문제를 풀며 추측해 보세요.

대화

Colleague 1   Wow, it's been a hectic day. How about you?

Colleague 2   Yeah, I understand. It's been a long day.

Colleague 1   I think we need to take care of ourselves,
both physically and mentally. Don't work too hard every day.

Colleague 2   That's great advice. I'm leaving now. Take it easy.

Colleague 1   Thanks. Take care and see you tomorrow.

01. 두 직장동료들의 하루는 어땠나요?

① 평소와 같았다.   ② 매우 바빴다.   ③ 할 일이 거의 없었다.

02. Colleague 1 가 조언한 내용과 일치하지 <u>않는</u> 것을 고르세요.

① 매일 너무 열심히 일하지 말자.

② 육체 건강과 정신 건강 둘 다 챙기자.

③ 돈 버는 게 우선순위다.

03. 위 대화 중에 "수고해"의 뉘앙스에 해당하는 표현을 모두 찾아 써 보세요.

_____ _____ _____ _____ every day.

_____ _____ easy.

Take _____.

· hectic : 정신없이 바쁜
· take care of ~ : ~을 돌보다, 신경쓰다
· physically : 육체[신체]적으로
· mentally : 정신적으로
· advice : 조언, 충고

필수 어휘와 표현을 이용하여, 우리말에 맞게 영어 문장을 완성해 보세요.

01. It's been a _____ day.

정신없이 바쁜 날이었어요.

02. We need to _____ ourselves.

우린 우리 자신을 돌볼 필요가 있어요.

03. That's great _____.

좋은 조언[충고]이네요.

Take it easy.
수고하세요.

① _____

② _____

③ _____

꿀팁! 덩달아 "수고하셨습니다.", "고생하셨어요."라는 말도 연습해 보세요.

- Thank you. 고맙습니다.
- **Thank you for** your time. 시간 내 주셔서 고맙습니다.
- **Thank you for** your work. 수고하셨습니다.
- **Thank you for** your hard work. 열심히 일해줘서 고맙습니다.

이렇게 고맙다고 인사하는 것도 매우 좋은 표현입니다.

Tongue Twister [f] vs. [p] / [s] vs. [z]

[f] vs. [p] 발음의 차이를 확인해 보세요.

▶ **f**eeling [ˈfiːlɪŋ] vs. **p**eeling [píːlɪŋ]
  느낌, 기분   껍질 벗기기

[s] vs. [z] 발음의 차이를 확인해 보세요.

▶ advi**c**e [ədˈvaɪs] vs. advi**s**e [ədˈvaɪz]
  조언, 충고   조언하다, 충고하다

05 아오, 답답해!!!

하고 싶은 말이 있거나, 하고 싶은 일이 있는데 내 마음과 뜻대로 상황이 굴러가지 않을 때가 있죠.
이럴 때 우린 답답함을 느낍니다.
예를 들어, 상대방이 내 의도를 제대로 이해하지 못하거나, 원하는 결과를 얻기 어려울 때가 그런 상황이죠.
이런 답답함을 표현할 수 있는 영어 표현을 알고 있다면 내 감정을 보다 정확히 전달할 수 있겠죠?

오늘의 문장을 어떻게 말할지, 나만의 영어로 먼저 적어보세요.

If it were me, I would say :

대화

Husband	You seem upset today. What's going on?
Wife	To be honest, I've been stressed out due to a lot of work these days.
Husband	Okay, I can see that you're stressed a lot.
Wife	For example, I have something important to say to my co-workers, but I can't say what I want to say to them. I can't express myself. I'm frustrated.
Husband	You know what? I'm here for you. Let's take a deep breath. Why don't you write down your thoughts or emotions?
Wife	That's a good idea. Thank you for your support.

01. Wife의 기분이 안 좋아 보이는 이유는 무엇인가요?

① 마음이 답답해서   ② 남편 때문에   ③ 직장동료가 질투나서

02. Husband가 조언한 내용과 일치하는 것을 모두 고르세요.

① 일찍 잠을 자는 것

② 심호흡을 깊게 하는 것

③ 생각이나 감정을 글로 적어 보는 것

03. 위 대화 중에 답답할 때 쓸 수 있는 두 가지 표현을 골라 적어보세요.

I can't _____ _____.

I'm _____.

- upset : 속상한, 심란한
- stressed out : 스트레스로 지친
- co-workers : 동료들
- express : 표현하다
- frustrated : 답답해하는, 좌절한

필수 어휘와 표현을 이용하여, 우리말에 맞게 영어 문장을 완성해 보세요.

01. I've been _____ due to a lot of homework.

    숙제가 너무 많아서 스트레스 받고 있어.

02. I _____ well.

    내 자신을 잘 표현할 수가 없어 (답답해).

03. I'm so _____.

    정말 답답해.

28

I'm frustrated.
아오, 답답해.

①　_____

②　_____

③　_____

꿀팁!　이번 대화 속에서 Husband는 자상하게
I'm here for you. "내가 당신 옆에 있잖아."라며 힘내라는 응원을 해 주었죠.

이러한 응원의 메시지를 몇 가지 더 알려 드리겠습니다.
- I'm with you. 내가 있잖아.
- I'm on your side. 난 당신 편이야.
- Cheer up. 힘내.
- I'm rooting for you. 힘내, 응원할게.

Pronunciation　[θ] vs. [ð]

[θ] vs. [ð]의 차이를 구분하세요.
brea**th** [breθ] vs. brea**the** [briːð]
호흡, 숨　　　　　호흡하다, 숨쉬다

영화 〈Top Gun〉의 주제곡 중, Berlin이 부른 Take my breath away가 있는데, 숨이 멎을 정도로 반한 상태를 뜻하는 제목입니다. 소위, '심쿵'했다는 말과도 같습니다.
반면, 우리나라 아이돌 중 Miss A의 Breathe라는 노래에서, I can't breathe.라는 가사가 나옵니다. 이때의 breathe는 동사이며, 발음도 다르죠.

발표를 할 일이 있을 때 기분이 어떠신가요? 저도 많이 긴장하게 됩니다. 아무리 철저히 준비를 했다고 해도 말이지요. 준비가 잘 되었다는 전제 하에, 상황에 맞게 즉흥으로, 임기응변으로 해내야 할 때가 많이 있습니다.

또한, 중대한 일일수록 쉽게 결정하기 힘들죠. 저는 무엇을 먹을지를 정하는 게 꽤 어렵더라고요. 그래서 종종, "대세를 따를게.", "그때 봐서 정할게." 라는 말을 하게 됩니다.

이번엔 이에 관련된 표현을 알려 드릴게요.

오늘의 문장을 어떻게 말할지, 나만의 영어로 먼저 적어보세요.

If it were me, I would say :

대화

Jenny   Hey, how did your presentation go yesterday?

Merrilyn   Thankfully, it went really well.

Jenny   I knew you'd do a great job.

Merrilyn   Thanks. I prepared a detailed script, but I was really nervous at the time. So, I decided to play it by ear.

Jenny   It was like going with the flow, right?

Merrilyn   Definitely! I think it made the presentation more interactive.

Jenny   I'm so proud of you, Merrilyn.

01. Merrilyn의 발표는 어땠나요?

① 망쳤다.   ② 성공적이었다.   ③ 평범했다.

02. Merrilyn은 발표를 어떻게 했나요?

① 즉흥으로 했다.

② 대본대로 외워서 했다.

③ 발표 중간에 포기했다.

03. 다음 보기 중 "즉흥으로 하다"에 해당하는 표현을 골라보세요.

① do a great job

② go with the flow

③ play it by ear

· presentation : 발표
· prepare : 준비하다
· go with the flow : 흐름에 맡기다
· interactive : 상호적인
· be proud of ~ : ~을 자랑스러워 하다

보기의 표현을 활용하여 우리말에 맞게 문장을 완성해 보세요.

> **보기**
>
> 마치 흐름에 맡기는 것과 같았다.
> **It was like going with the flow.**

01. I just want to _____.

난 그냥 흘러가는 대로 살고 싶어.

02. I won't _____.

난 대세를 따르지 않겠어.

03. They are _____.

그들은 대세에 따르고 있어요.

I decided to play it by ear.

난 즉흥으로 하기로 결심했지.

① _____

② _____

③ _____

꿀팁! play it by ear이라는 관용구는 이처럼 "즉흥으로 하다", "그때그때 상황을 봐서 처리하다", "임기응변으로 대처하다"라는 의미입니다.

이 표현의 유래를 알면 기억하기에 훨씬 수월하겠죠?

음악을 연주하는 상황에서 유래된 표현입니다. 악보 없이 연주해야 하는 상황이라고 가정해 보세요. 귀에 들리는 대로 맞춰서 연주해야겠죠?

그래서 play it by ear이라는 표현이 생긴 겁니다.

· Let's **play it by ear**. 상황 보고 결정하자.

· I'll just **play it by ear**. 되는대로 하려고요.

중요한 결정이나, 무엇을 먹을지 음식을 고르는 상황에서도 자주 쓰여요.

Grammar to 부정사를 좋아하는 동사

I decided to play it by ear. 에서 to 부정사가 쓰인 이유는 앞의 decide 동사 때문이에요.
이처럼 to 부정사를 써야 하는 동사들을 좀 더 알려 드릴게요.

> want 원하다, hope 바라다, wish 소망하다, need 필요하다, plan 계획하다, expect 기대하다, decide 결정하다, choose 선택하다, ask 요청하다, agree 동의하다, arrange 준비하다, 정리하다 etc.

대체로 이런 동사류들은 **미래**적인 의미를 지니고 있어요.

07 진짜 고마워

급한 상황에 처했을 때, 누군가의 도움을 받는다면??
당연히, 정말 고맙죠. 그래서 우리말로 '고맙다'는 말을 다양하게 표현할 수 있습니다.
"진짜 고마워.", "넌 생명의 은인이야.", "뭐라 감사의 말을 해야할지…" 이처럼 말이죠.

반면, 영어로 "고마움"에 해당하는 표현을 떠올린다면, Thank you.가 대표적이죠.
그 외에 다양한 표현들을 알려 드릴게요.

오늘의 문장을 어떻게 말할지, 나만의 영어로 먼저 적어보세요.

If it were me, I would say :

_____

_____

34

대화

A Do you remember that paper I was working on? I almost missed the deadline, but thanks to your help, I managed to complete it on time.

B You're welcome. I'm so glad I could help you.

A That's very kind of you. I can't thank you enough. I'll treat you to lunch today.

B Alright, if you say so.

01. 다음 중 내용과 일치하는 것을 고르세요.

① A는 마감일을 놓쳤다.

② B는 저녁식사를 이미 했다.

③ A는 점심식사를 쏠 예정이다.

02. A와 B의 관계로 가장 적절한 것을 고르세요.

① 어머니 – 교수

② 직원 – 사장

③ 학생 – 학생

03. 다음 보기 중 진짜 고마울 때 할 수 있는 표현을 골라보세요.

① Do your best.

② You're welcome.

③ I can't thank you enough.

almost missed the deadline : 마감일을 놓칠 뻔 했다

thanks to ~ : ~덕분에

manage to 동사원형 : (간신히) 해내다, 성공하다

complete : 완료하다, 끝마치다

treat : 대접하다

필수 어휘와 표현을 이용하여, 우리말에 맞게 영어 문장을 완성해 보세요.

01. I _____ the _____.

마감일을 놓칠 뻔했어.

02. I _____ it on time.

간신히 제시간에 마칠 수 있었지.

03. I'll _____ you to lunch.

점심은 내가 살게.

I can't thank you enough.

진짜 고마워. 뭐라 고맙다고 해야 할지…

① _____

② _____

③ _____

꿀팁!   I can't thank you enough. 이 문장을 직역한다면?
"난 너에게 충분히 고마워할 수 없다."
결국, "고마움을 충분히 표현할 길이 없다." 진심으로 고맙다는 말로 잘 쓰이는 것이지요.

유용한 표현들을 더 알려 드릴게요.
 · Thanks, a million.
 · Thank you so much. = Thank you very much.
 · That's very kind of you.
 · You're a life saver. = I owe you my life.

Tongue Twister   [θ] 발음 집중 연습

I **th**ought I **th**ought of **th**inking of **th**anking you. 감사의 말씀을 드려야겠다고 생각했어요.
[아이 떠어ㅌ– 아이 떠러v 띵낑어v– 땡낑유]

th의 [θ] 발음을 반복연습할 수 있는 문장입니다.
오늘 대표 문장인 I can't thank you enough.의 thank도 마찬가지로 [θ] 발음으로 시작하죠.
[θæηk]이지, [땡]이라고 하면 땡!!!!

월   일   요일

즐거운 쇼핑시간!

특별한 목적 없이 구경만 할 때도 있죠? 구경을 하다가 마음에 드는 상품을 구매하기도 하고요.

그런데 매장 직원이 다가와서 "특별히 찾는 상품 있으신가요?"라는 질문을 하죠.

이럴 때, "좀 둘러볼게요.", "구경 좀 할게요."라는 말을 해야하겠죠?

영어로는 과연 어떻게 말하는지 알려 드릴게요.

오늘의 문장을 어떻게 말할지, 나만의 영어로 먼저 적어보세요.

If it were me, I would say :

대화

Store staff	Good afternoon! How may I help you? Is there anything specific you're looking for?
Customer	Hello! Well, I'm just browsing, thank you.
Store staff	Sure thing. Please let me know if you need any help.
Customer	Thank you. Actually, I'm not exactly sure what kind of style I want yet.
Store staff	Noted. We have a variety of styles available. Would you like to come this way?

01. 다음 중 내용과 일치하지 않는 것을 고르세요.

① 매장직원이 불친절하다.

② 고객은 구경을 하고 싶어한다.

③ 매장엔 다양한 스타일이 있다.

02. 대화 중, Is there anything specific you're looking for?은 무슨 뜻인가요?

① 찾고 계시는 특정한 게 있으세요?

② 여기엔 특별한 상품들이 있나요?

③ 무엇을 보고 계시나요?

03. 다음 보기 중 "구경 좀 할 게요."를 골라보세요.

① Sure thing.

② I'm just browsing.

③ We have a variety of styles available.

· anything specific : 구체적인[특정한] 어떤 것
· look for : ~을 찾다
· browse : 둘러보다, 돌아다니다
· let me know : 나에게 알려주다
· come this way : 이쪽으로 오세요

보기의 표현을 활용하여, 우리말에 맞게 영어 문장을 완성해 보세요.

> **보기**
>
> **look for**

01. Is there anything specific you're _____ _____ ?

찾고 계시는 특정한 게 있으세요?

02. What are you _____ _____ ?

무엇을 찾고 계세요?

03. Are you _____ _____ anything in particular?

특별히 찾으시는 게 있으세요?

힌트 문제에는 BE 동사가 포함되어 있어요. 진행시제로 바꿔야 하죠.

I'm just browsing.

구경 좀 할게요.

① _____

② _____

③ _____

꿀팁! 상점에 들어가서 빈번히 사용하게 되는 말이죠? I'm just browsing.
이 외에 유용한 표현들을 알려 드릴게요.

- **I'm just looking**. 그냥 좀 둘러볼게요.
- **I'm just looking** around. 그냥 좀 둘러볼게요.
- **I'm just looking** around for now. 일단은 그냥 좀 둘러볼게요.

이렇게 look이라는 쉬운 단어를 활용할 수도 있어요.
대신 [BE + Ving] 현재진행시제, 그리고 부사 just로 더 실감나게 말하는 연습을 해보세요.

Grammar 후치수식

Is there anything specific you're looking for?
위 문장 속 형용사 specific은 무엇을 수식하고 있나요?
바로, 앞의 anything을 수식하고 있습니다. 이렇게 뒤에서 꾸며주는 경우를 **후치수식**이라고도 하죠.
후치수식을 하는 복합명사의 대표적인 예로 아래 단어들을 기억해 두시면 돼요.

anything, anyone, anybody, anywhere,
something, someone, somebody, somewhere

이들은 형용사가 뒤에서 꾸며줍니다.
예 I met **someone** beautiful. 아름다운 누군가를 만났어요.

09 걔가 나 읽씹했어.

메시지를 보냈는데, 상대방이 '읽씹(읽은 후 답을 안 하는 것)'하는 경우가 있죠.
물론, 급한 일이 있으면 그럴 수 있겠지만 상대방의 기분은 썩 좋진 않을 거예요.
갈수록 문자나 톡으로 소통하게 되는 시대에, "읽씹하다"는 표현을
영어로는 어떻게 말하는지 알아볼까요?

오늘의 문장을 어떻게 말할지, 나만의 영어로 먼저 적어보세요.

If it were me, I would say :

A와 B의 대화를 듣고, 어떤 상황인지 문제를 풀며 추측해 보세요.

대화

Ryan Hey, why the long face?

Aiden You know I like Ella. So, I texted her yesterday to ask her out on a date.

Ryan Oh, that's terrific! How did it go?

Aiden She's usually pretty responsive. But this time, she left me on read. And as you can see, I've been staring at my phone since then.

Ryan That's harsh. Why don't we grab some ice cream and forget all about it?

---

01. 다음 중 대화 내용과 일치하는 것을 고르세요.

① Ryan은 Aiden이 Ella를 좋아하는 것을 몰랐다.

② Ella도 Aiden을 좋아한다.

③ Ella는 Aiden에게 답하지 않았다.

02. 대화 중 That's terrific!과 비슷한 표현을 골라보세요.

① That's awesome!

② That's terrible!

③ That's a shame!

03. 다음 보기 중 "그녀가 나를 읽씹했어."를 골라보세요.

① She's usually pretty responsive.

② She left me on read.

③ She forgets about it.

- text : 문자 / 문자를 보내다
- ask someone out : 데이트 신청하다
- terrific : 엄청난, 멋진
- pretty responsive : 꽤 응답을 잘하는
- grab : 붙잡다, 잡다, (간단히) 먹으러 가다

필수 어휘와 표현을 이용하여, 우리말에 맞게 영어 문장을 완성해 보세요.

01. I _____ her yesterday to _____ her _____ on a date.

난 그녀에게 데이트 신청하려고 어제 문자를 보냈어.

02. Oh, that's _____!

오, 굉장한데!

03. Why don't we _____ some ice cream?

우리 아이스크림 먹으러 가는 게 어때?

She left me on read.

그녀가 나를 읽씹했어.

① _____

② _____

③ _____

꿀팁! 하루에 몇 번이나 문자를 보내시나요?

어쩌면 전화보다도 문자 메시지를 보내는 횟수가 훨씬 많을지도 모릅니다.

이렇게 문자 메시지를 보낼 때, 이미 배운 [text + 사람] 구조를 쓰실 수 있죠.

I texted her (a message). 그녀에게 문자 메시지를 보냈어요

send a text message를 활용한 또 다른 표현도 알려드릴게요.

- I sent her a text message. 그녀에게 문자 메시지를 보냈어요.
- I sent a text message to her. 그녀에게 문자 메시지를 보냈어요.

Grammar 현재 완료 진행

I've been staring at my phone since then.

대화 속에서 살펴 본 문장입니다. 밑줄 친 부분은 [have been Ving] 로써 **현재 완료 진행**시제입니다. 과거의 한 시점에서 지금까지 계속해 왔다는 현재 완료 [have p.p.]와, 지금도 하고 있는 중이라는 현재 진행 [BE + Ving]이 함께 쓰였습니다. 그러므로, "난 그 이후로 계속해서 지금까지 휴대폰을 보고 있는 중이야."라는 뜻이 됩니다.

45

10 슬슬 집에 갈까?

친구들과의 모임이나, 연인과의 데이트 후, 아쉽지만 각자의 집으로 돌아가야 하죠.
"이제 슬슬 집에 갈까?", "이제 집에 가야 할 것 같아."와 같은 말을 하게 됩니다.
영어로도 이러한 의미의 표현을 함께 익혀 볼까요?

오늘의 문장을 어떻게 말할지, 나만의 영어로 먼저 적어보세요.

If it were me, I would say :

대화

A   That was an amazing dinner! The food was so delicious.

B   Yeah, I think I need to unbutton my pants now.

C   Haha. I agree. Plus, I feel drowsy.

A   Same here. Well, I guess we should get back home.

B   You're right. I'll call for a cab.

01. 다음 중 대화 내용과 일치하는 것을 고르세요.

① A, B, C는 옷가게에 있다.

② B는 택시를 부를 것이다.

③ C는 여전히 배가 고프다.

02. 대화 중 B가 I think I need to unbutton my pants now.라고 한 이유는 무엇일까요?

① 다른 옷으로 갈아입으려고

② 배가 너무 불러서

③ 집에 가려고

03. 다음 보기 중 "슬슬 집에 갈까?"에 해당하는 표현을 골라보세요.

① I guess we should get back home.

② Same here.

③ I feel drowsy.

- amazing : 놀라운
- unbutton : 단추를 풀다
- drowsy : 졸리는, 나른한
- get back home : 집으로 돌아오다
- cab : 택시 (taxi)

필수 어휘와 표현을 이용하여, 우리말에 맞게 영어 문장을 완성해 보세요.

01. That was an _____ dinner.

훌륭한 저녁식사였어.

02. I feel _____.

졸리다(나른해).

03. I'll call for a _____.

내가 택시를 부를게.

I guess we should get back home.
슬슬 집에 갈까?

① _____

② _____

③ _____

꿀팁!   I guess we should get back home. 외에, "집에 가자."는 다른 표현들도 소개해 드릴게요.
앞부분에 I think나 I guess로 시작하면 훨씬 자연스럽게 들립니다.

· I guess we should get going. 우리는 가야 할 것 같아.

· I think I have to go home now. 저는 이제 집에 가봐야 해요.

· Shall we go home now? 이제 집으로 가 볼까?

Pronunciation   [aʊ] vs. [ɔ] / [b] vs. [p]

[aʊ] vs. [ɔ]의 차이를 구분하세요.

→ dr**ow**sy [ˈdraʊzi] vs. dr**aw** [drɔː]

    졸리는, 나른한   그리다

[b] vs. [p]의 차이를 구분하세요.

→ ca**b** [kæb] vs. ca**p** [kæp]

    택시   (앞부분에 챙이 있는) 모자

I walked into the kitchen this morning
and I said to my dad "I'm hungry."
And my dad said "Hi, Hungry. I'm dad."

오늘 아침에 주방에 가서 아빠에게 "나 배고파."라고 했더니
아빠는 "안녕, 배고파야. 난 아빠야."라고 했다.

정답 / 해설

01 내 말이!

클레어 : 우리가 밤새 공부하다니 믿을 수가 없어.

에밀리 : 맞아, 우리 진짜 열심히 했어.

클레어 : 우리가 시험을 잘 보면 좋겠다. 그런데, 나 지금 너무 졸려.

에밀리 : 그러게 말이야.

01 I can't believe we stayed up all night studying. I just hope we do well on the exams.라고 했으므로 함께 공부했음을 알 수 있다.

02 We stayed up all night studying.이라는 말을 했으므로 밤새 시험공부를 했다는 것을 알 수 있다.

03 Tell me about it.

정답 p6 01 ③ 02 ② 03 Tell me about it.

p7 01 stayed up all night 02 do well 03 sleepy

02 넌 나에 대해 잘 모르는구나.

친구 1: 너한테 할 말이 좀 있어.

친구 2: 오, 뭔데?

친구 1: 나 미술 수업 등록했다!

친구 2: 정말? 의외인데. 너 미술에 전혀 관심 없는 줄 알았어.

친구 1: 하하, 너가 날 잘 모르는구나.

친구 2: 그러네. 너의 새로운 면을 볼 수 있어서 정말 기뻐.

01 I joined an art class.라고 했으므로 미술이나 예술관련 수업임을 알 수 있다.

02 That's unexpected. I thought you weren't interested in art at all.을 힌트삼아
Friend 2는 Friend 1이 미술/예술에 관심없다고 생각했음을 알 수 있다.

03 You don't know me very well. 넌 날 모르는 구나.

정답 p10 01 ④ 02 ① 03 You don't know me

p11 01 something 02 joined 03 interested in

03 컨디션 별로야.

동료 1: 오늘 기분 어때요?

동료 2: 솔직히 말해서, 몸이 안 좋아요. 두통도 있고 피곤해요.

동료 1: 아, 병원에 가보는 게 어때요?

동료 2: 네, 이미 갔다 왔어요. 오늘 일찍 집에 가야 할 것 같아요.

동료 1: 그럼요 (문제없어요). 좀 쉬는 게 좋을 것 같아요.

동료 2: 이해해줘서 고마워요.

01 I already did.라는 대답은 곧, I already went to see a doctor.이라는 말이니 이미 병원에 다녀왔음을 알 수 있다.

02 No problem. I think you should get some rest.라는 대답을 통해 조퇴하고 좀 쉬라는 조언임을 알 수 있다.

03 컨디션이 안 좋으면 기분도 별로 안 좋은 상태로 보아, I don't feel well.

정답 **p14** 01 ①   02 ③   03 I don't feel

p15 01 have | toothache   02 have | cold   03 have | back pain

04 수고하세요. (헤어질 때 인사말)

동료 1: 와, 오늘 정말 바빴어요. 당신은 어때요?

동료 2: 네, 그 기분 알아요. 오늘 하루가 길었어요.

동료 1: 우리 몸과 마음 모두를 돌봐야 할 것 같아요. 매일 너무 열심히 일하지 마세요.

동료 2: 좋은 조언이예요. 이제 저 갈게요. 또 만나요.

동료 1: 고마워요. 잘 가요, 내일 봐요.

01 It's been a hectic day. It's been a long day.라는 문장을 보아 매우 바쁘고 힘든 날이었다는 걸 알 수 있다.

02 조언한 문장들은 We need to take care of ourselves, both physically and mentally., Don't work too hard every day.이므로 ③이 답임을 알 수 있다.

03 일을 쉬엄쉬엄하라는 의미로 Don't work too hard every day. 몸 잘 챙기라는 의미를 포함한 Take it easy. Take care.가 답이다.

정답 **p18** 01 ②   02 ③   03 Don't work too hard | Take it | care

p19 01 hectic   02 take care of   03 advice

05 아오, 답답해!!!

> **대화**
>
> 남편: 오늘 기분이 안 좋아 보여. 무슨 일 있어?
>
> 아내: 사실, 요즘 일 때문에 스트레스가 많아.
>
> 남편: 그래, 많이 스트레스 받는 게 보여.
>
> 아내: 예를 들어, 동료들에게 중요한 말을 해야 하는데, 할 말을 못 하겠어. 표현이 안 돼서 답답해.
>
> 남편: 있잖아, 내가 여기 있어. 우리 깊게 호흡하자. 생각이나 감정을 글로 적어 보는 게 어때?
>
> 아내: 좋은 생각이야. 도와줘서 고마워.

01   아내의 말 중에, I can't say what I want to say to them. I can't express myself. I'm frustrated.라고 답답함을 토로하고 있다.

02   Let's take a deep breath. Why don't you write down your thoughts or emotions.처럼 조언의 문장들을 찾을 수 있다.

03   I can't express myself. 표현을 잘 못한다는 것이니 답답함을 나타낼 수 있고, I'm frustrated. 답답한 마음이 들 때 자주 쓰이는 문장이다.

> **정답** **p22**   01 ①   02 ②, ③   03 express myself | frustrated
>
> **p23**   01 stressed out   02 can't express myself   03 frustrated

06 즉흥으로 한 거야.

> **대화**
>
> Jenny: 어제 발표 어떻게 됐어?
>
> Merrilyn: 다행히 정말 잘 됐어.
>
> Jenny: 네가 잘할 줄 알았어.
>
> Merrilyn: 고마워. 내가 상세한 대본을 준비했지만, 그때 너무 긴장했지 뭐야. 그래서 즉흥적으로 진행하기로
>   했어.
>
> Jenny: 흐름에 맡긴 거네, 맞지?
>
> Merrilyn: 맞아! 덕분에 발표가 더 상호작용적이었던 것 같아.
>
> Jenny: 정말 자랑스러워, 메릴린.

01   Thankfully, it went really well.이라고 했으므로 성공적이었다.

02   I decided to play it by ear.이라는 말을 했으므로 즉흥으로 진행했다는 것을 알 수 있다.

03   play it by ear 즉흥으로 하다

> **정답** **p26**   01 ②   02 ①   03 ③
>
> **p27**   01 go with the flow   02 go with the flow   03 going with the flow

07 진짜 고마워.

A: 내가 작업 중이던 논문 기억해? 마감일을 거의 놓칠 뻔했는데, 네 도움 덕분에 제시간에 완성했어.

B: 천만에. 도울 수 있어서 정말 기뻐.

A: 정말 고마워. 어떻게 감사해야 할지 모르겠어. 오늘 점심 내가 살게.

B: 좋아, 네가 그렇다면야.

01 I almost missed the deadline, but thanks to your help, I managed to complete it on time. 가까스로 마감일을 지키고, I'll treat you to lunch today. 오늘 점심 대접하겠다는 의미이다.

02 paper(보고서) 작성 관련 일정을 알려줘서 위기를 넘긴 것이므로 보기 중에 ③이 가장 유력하다.

03 ① 최선을 다해라. ② 천만에. ③ 뭐라고 고마움을 표현해야 할지 모르겠어.

정답 (p30) 01 ③   02 ③   03 ③

(p31) 01 almost missed | deadline   02 managed to complete   03 treat

08 구경 좀 할게요.

상점 직원: 안녕하세요! 무엇을 도와드릴까요? 찾으시는 게 있으신가요?

손님: 안녕하세요! 그냥 둘러보고 있어요, 감사합니다.

상점 직원: 알겠습니다. 필요하시면 언제든 말씀해 주세요.

손님: 감사합니다. 사실, 어떤 스타일이 좋은지 아직 잘 모르겠어요.

상점 직원: 알겠습니다. 다양한 스타일이 있습니다. 이쪽으로 오시겠어요?

01 I'm just browsing. "그냥 좀 둘러볼게요." We have a variety of styles available. "다양한 스타일이 준비되어있습니다."를 통해 대화 전반적으로 직원이 친절하게 안내하고 있음을 알 수 있다.

02 Is there anything specific you're looking for? 찾고 계시는 특정한 게 있으신가요?

03 ① 물론이죠. ② 그냥 구경 좀 할게요. ③ 다양한 스타일이 준비되어있습니다.

정답 (p34) 01 ①   02 ①   03 ②

(p35) 01 looking for   02 looking for   03 looking for

❾ 걔가 나 읽씹했어.

대화

Ryan: 왜 이렇게 우울해 보여?

Aiden: 내가 Ella 좋아하는 거 알지? 어제 그녀에게 데이트 신청하려고 문자 보냈어.

Ryan: 와, 잘했어! 어떻게 됐어?

Aiden: Ella가 평소엔 빨리 답장하는데, 이번에는 읽고 나서 답장이 없어. 그래서 그때부터 계속 핸드폰만 보고 있었어.

Ryan: 너무하다. 우리 아이스크림 먹으러 가자, 그리고 다 잊어버리자.

01 Aiden이 But this time, she left me on read. "그런데 이번엔, 그녀가 날 읽씹했어."라고 했으므로 정답은 ③이다.

02 "굉장하다"라는 의미를 찾아야 하므로 awesome이라는 형용사를 골라야 한다.

03 She left me on read. 직역하면, "그녀가 나를 읽은 상태로 두었다"는 문장이고, 소위 "읽씹했다"는 의미의 문장이다.

정답 p38 01 ③   02 ①   03 ②

p39 01 texted | ask | out   02 terrific   03 grab

❿ 슬슬 집에 갈까?

대화

A: 저녁 정말 맛있었어! 음식이 너무 맛있었어.

B: 맞아, 이제 바지 단추 풀어야 할 것 같아.

C: 하하, 나도 그래. 게다가 졸려.

A: 나도 그래. 이제 집에 가야 할 것 같아.

B: 맞아. 택시 부를게.

01 대화 마지막 부분에 I'll call for a cab.이라고 했으므로 택시를 부르겠다는 말이다.

02 unbutton은 "단추를 풀다"라는 뜻으로 배가 너무 불러서 단추를 풀어야겠다는 뜻으로 해석된다.

03 get back home은 "집으로 돌아가다"라는 의미이다.

정답 p42 01 ②   02 ②   03 ①

p43 01 amazing   02 drowsy   03 cab(taxi)

MEMO

MEMO

MEMO

333 영어 LEVEL1_1

초판 1쇄 인쇄 2024년 11월 25일
초판 1쇄 발행 2024년 12월 9일

지은이	조정현
발행인	임충배
홍보/마케팅	양경자
편집	김인숙, 왕혜영
디자인	이경자
펴낸곳	도서출판 삼육오(PUB.365)
제작	(주)피앤엠123

출판신고 2014년 4월 3일
등록번호 제406-2014-000035호

경기도 파주시 산남로 183-25
TEL 031-946-3196 / FAX 031-946-3171
홈페이지   www.pub365.co.kr

ISBN 979-11-92431-80-2 14740
ⓒ 2024 조정현 & PUB.365